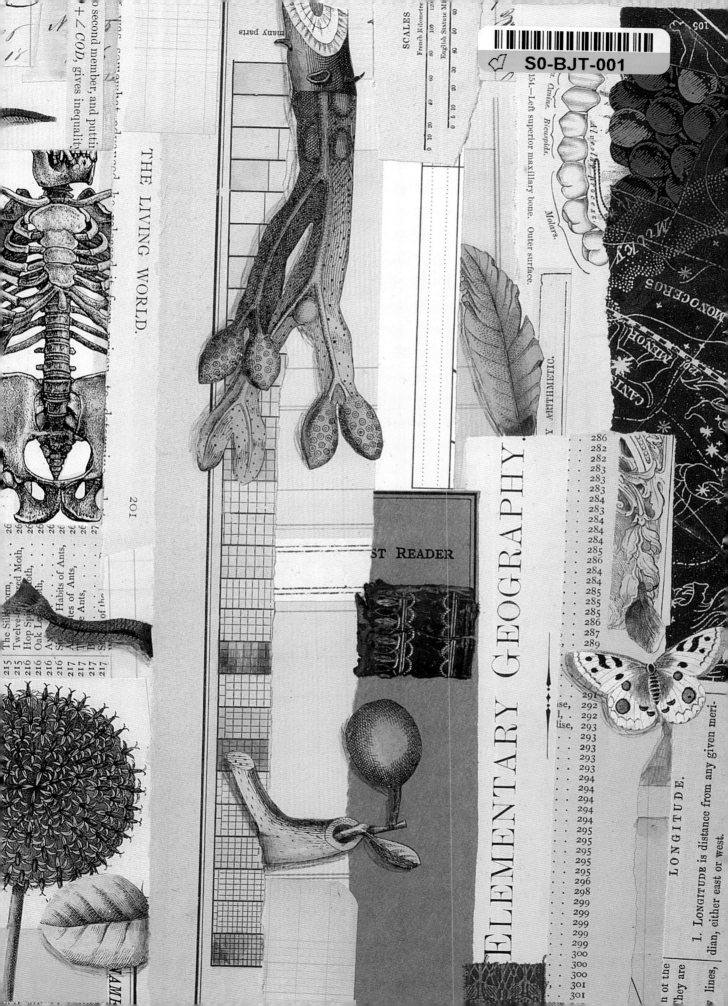

梦之旅
凯迪克大奖绘本

就是这个词！
THE RiGHT WORD

TITLE
标题

彼得·罗杰
和他的《分类词典》

SUBTITLE
副标题

[美] 珍·布赖恩特/著

[美] 梅利莎·斯威特/绘

马爱农/译

作者

插画家

译者

出版社

ART TIME
时代出版   时代出版传媒股份有限公司
安徽少年儿童出版社

著作权登记号：皖登字12151525号

The Right Word: Roget And His Thesaurus
Text © 2014 Jen Bryant
Illustrations © 2014 Melissa Sweet
This edition arranged with Wm. B. Eerdmans Publishing Co.(Eerdmans Books for
Young Readers) through Big Apple Agency, Inc., Labuan, Malaysia.
All rights reserved.

中文简体字版由安徽少年儿童出版社在中国大陆地区独家出版发行

图书在版编目（CIP）数据

就是这个词！ /(美) 布赖恩特 (Bryant,J.) 著；
(美) 斯威特 (Sweet,M.) 绘；马爱农译. -合肥：安
徽少年儿童出版社，2016.1
（梦之旅凯迪克大奖绘本）
ISBN 978-7-5397-8479-3

Ⅰ.①就… Ⅱ.①布…②斯…③马… Ⅲ.①儿童文
学—图画故事—美国—现代 Ⅳ.①I712.85

中国版本图书馆CIP数据核字(2015)第271442号

MENG ZHI LÜ KAIDIKE DAJIANG HUIBEN JIUSHI ZHEGE CI

梦之旅凯迪克大奖绘本·就是这个词！

[美]珍·布赖恩特/著　　　[美]梅利莎·斯威特/绘　　马爱农/译

出版人：张克文	执行策划：牛硕	选题策划：梦溪今典
责任编辑：陆莉莉	版权运作：古宏霞 芮嘉	特约编辑：罗玄
装帧设计：张然	责任印制：田航	

出版发行：时代出版传媒股份有限公司 http://www.press-mart.com
　　　　　安徽少年儿童出版社　E-mail:ahse1984@163.com
　　　　　新浪官方微博：http://weibo.com/ahsecbs
　　　　　腾讯官方微博：http://t.qq.com/anhuishaonianer（QQ：2202426653）
　　　　　（安徽省合肥市翡翠路1118号出版传媒广场 邮政编码：230071）
　　　　　市场营销部电话：（0551）63533532（办公室）　63533524（传真）
　　　　　（如发现印装质量问题，影响阅读，请与本社市场营销部联系调换）
印　　制：北京盛通印刷股份有限公司
开　　本：889mm×1194mm　　　　1/16　　　印张：3
版　　次：2016年1月第1版　　　　2016年1月第1次印刷
ISBN　978-7-5397-8479-3　　　　　定价：39.80元

就是这个词！
THE RiGHT WORD

关于彼得·罗杰和他的《分类词典》。

此人 还没有彻底坏透—

他房间里有本《分类词典》。

——J.M.巴里，《彼得·潘》的作者，
这样形容虎克船长。

"THE man is not wholly evil—he has a thesaurus in his cabin."

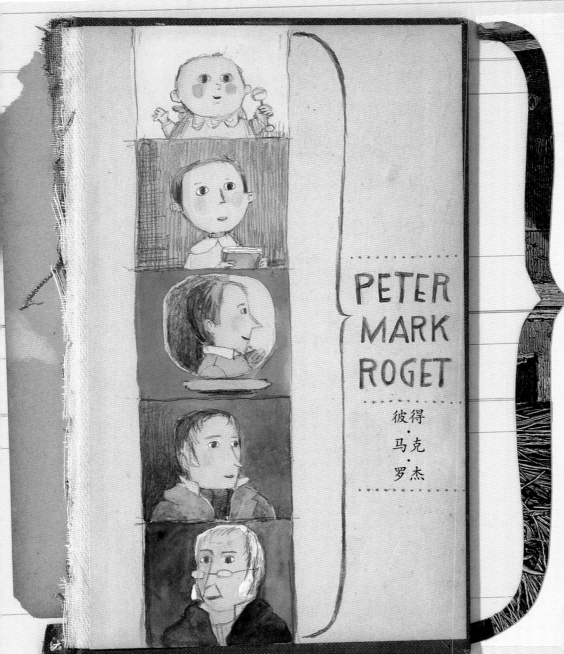

PETER MARK ROGET

彼得·马克·罗杰

1779

诞生

声
始儿儿孩童年生人期
开婴幼小儿少后生子
年轻者
婴幼小儿少后年学春伙人年
开学青小学大成中壮成收
青小学大成中壮成收
渐近闭
卒于

1869

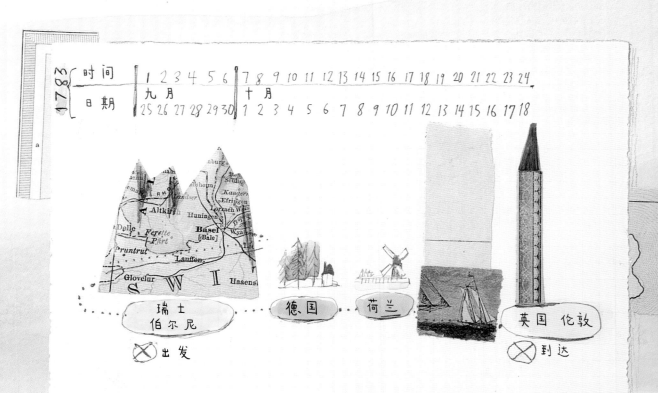

1783	时间	1	2	3	4	5	6	7	8	9	10	11	12	13	14	15	16	17	18	19	20	21	22	23	24
	日期	九 月						十 月																	
		25	26	27	28	29	30	1	2	3	4	5	6	7	8	9	10	11	12	13	14	15	16	17	18

瑞士
伯尔尼

德国

荷兰

英国 伦敦

⊗ 出发

⊗ 到达

马车穿过
瑞士的山谷，
发出
咔嗒咔嗒的声音。
彼得在舅舅腿上
依偎得更紧了，
小安妮特
在妈妈怀里
进入了梦乡。
黑墙的背景上
衬托着
一朵
粉红色的小花。

爸爸永远不会再回来了，彼得知道。
妈妈身上黑色的丧服和舅舅脸上悲伤的表情都证明了这点。

多年之后，当彼得开始写他的单词
表时，首先想到的是爸爸的去世。

大事年表

1783 让·罗杰去世

彼得一家经常搬家，所以彼得很难交到朋友。
但是他发现，书也是很好的朋友。
他身边总是有很多书相伴，他从来不用被迫把它们抛下。

彼得八岁那年，开始自己写书。
他在封面上写道：彼得·马克·罗杰，本人的书。
但是他写的不是故事，而是单词表。

一开始，他写了一个拉丁语单词表。

那些词都是他从老师那儿学来的。

他在拉丁语单词旁用英语写出它们的意思。

动物

丁语 LATIN   ENGLISH 英语

SOREX   a RAT 老鼠

LEO   a LION 狮子

URSUS   a Bear 熊

TIGRIS   a TIGER 老虎

PORCUS   A HOG 猪

ELEPHAS   an ELEPHANT 大象

VOLPES   a FOX 狐狸

SERPENS   a SNAKE 蛇

这张表帮助他把功课记得牢牢的。

而且，当妈妈不停地问他各种问题时，这张表让他应对自如。

可是，说老实话，彼得认为"好"这个词并不是最合适的。

每年，彼得都会在他的书里添加新的单词表。其中他最喜欢的是"四大要素""天气"和"在花园里"。

妈妈抱怨彼得总是在乱写乱画。

然而，
彼得的
单词表
可不只
是涂鸦。
彼得
逐渐懂得，
词汇
是很有
力量的
东西。
当把它们
排成
整整齐齐的
一长溜时，
他似乎觉得
整个世界
都瞬间变得
井然有序。

IN THE GARDEN
在花园里

LATIN ENGLISH

拉丁语	英语	
LATUCA	a LETTUCE	莴苣
RAPHANUM	a RADISH	水萝卜
LIGNUM	WOOD	木头
POMUM	an APPLE	苹果
ARBOR	a TREE	树

THINGS THAT FLY 飞虫和飞禽

少年时期的彼得是一个瘦高而腼腆的男孩。他花很多时间阅读科普书籍。他特别喜欢林奈写的一本书。

和彼得一样，林奈也列了很多单词表。林奈分类列出动物和植物的名字，方便人们学习自然知识。

欧亚鸲(qú)

自然系统

卡罗·林奈/著

界

动物界

门

脊索动物门

纲

鸟纲

目

雀形目

翁(wēng)科

科

欧亚鸲属

属

欧亚鸲

种

植物
树木 花草

嫩枝

倒钩 刺槐
刺蓟 果
枝条 苹果

草地 树丛

灌木丛

篱笆

灌木

树木

鸣唱

咏叹调

鸣啭

咽啾

颤音

吱吱喳喳

欢唱

树干 树根 主根

林奈在瑞典的自家花园里漫步，彼得在伦敦的公园里漫步，他们都列出了所有植物和昆虫的名字。

彼得更喜欢独自漫步……

枝叶

可是妈妈不赞成：

也许"担心"这个词并不怎么合适。
什么词才合适呢？
彼得开始写一个新的单词表：

担心，

焦虑， 痛苦，

绝望， 打扰， 纠结，

惹恼， 折磨，

激怒，

烦恼，

足以把人逼疯。

终于找到了合适的词，这感觉多么奇妙！

如果世界上所有的思想都能集中在一个地方该多好，那么每个人只需有一本书，就能在里面找到那个最棒的、真正合适的词。

彼得把这个想法藏在心里，就像藏着一笔秘密的宝藏。

1793年，罗杰一家搬到苏格兰的爱丁堡，彼得上了医科大学。在接下来的五年，彼得努力学习。他毕业时才十九岁。舅舅提醒他："你年纪太轻，还不能行医。"

那段时间他可以做些什么呢？

他可以当家庭教师 —— 教数学、科学和法语。

他认识了一个有钱人，那人有两个十多岁的儿子……

在巴黎，彼得和两个男孩总是有好多事可做、有好多地方可去。

他们甚至目睹了拿破仑率领军队穿过城市。

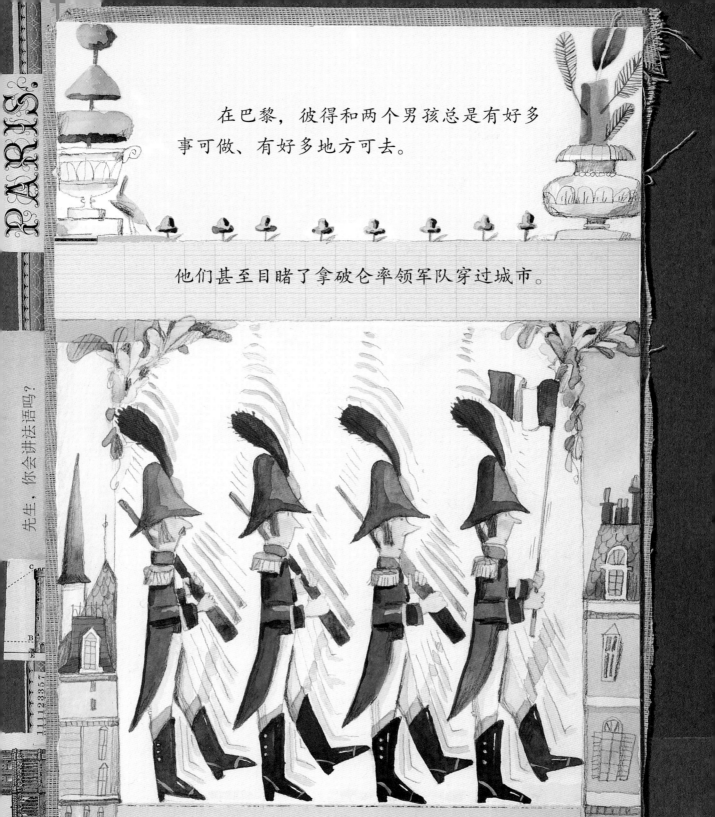

那些士兵步伐一致，队形整齐，就像彼得书里的单词表一样。

曼彻斯特

公立医院

　　终于，彼得到了当医生的年龄。他的第一份工作是在英国的曼彻斯特。在工厂里干活的人们非常贫穷，经常生病。彼得尽全力让他们重获健康。

　　到了晚上，他继续写他的单词表。

1805年，彼得完成了他的第一本大部头单词表。这本书有一百多页，涵盖一千多个概念，列出了一万五千多个单词！彼得一直把它放在桌子上，这样可以随时找到最合适的词。

彼得搬回伦敦后，加入了一些科学社团，并且出席了许多有名的思想家和发明家的讲座。没过多久，他也被邀请开讲座了。

但是他真的能做到吗？腼腆的彼得·罗杰，真的可以面对济济一堂的听众，讲述他所知道的事情吗？

是的，他做到了。
彼得拿着他的书，讲得准确、清晰而充满自信！

在浩瀚的宇宙中，我们栖息的星球不过是一粒尘埃……

四十五岁那年，彼得娶了玛丽·霍布森。玛丽是个活泼、聪慧、漂亮的姑娘。她常逗得彼得哈哈大笑。他们生了女儿凯特和儿子约翰。

恋爱，求婚
热恋，爱情
单身汉　　少女
新郎　　　新娘

MARRIAGE 婚姻

丈夫　　妻子

HONOR 荣誉 〔尊重 尊敬

FAMILY 家庭

母亲 〔家族 后代
父亲 〔后裔

亲属

亲朋好友

（画中文字）

1824 彼得·罗杰和玛丽·霍布森

凯特　　约翰

1825　姐弟　1828

姐弟　儿子　孩子

种子 幼苗 抽芽 掌上明珠

彼得依然是害羞的，但现在他交了很多朋友。

随着年龄越来越大，彼得出诊看病的时间越来越少了。人们还是称呼他为"罗杰医生"，但他现在下棋、散步、读书。当然，他还在继续写他的单词表。

当时，已经有几位作家出版了其他的单词表。这些书帮助人们更加委婉地说话和写作。每一本彼得都读了。

凯特和约翰也读了。他们认为爸爸的书要好得多。

彼得也这么觉得。

作者	约翰·特拉斯勒	赫斯特·皮奥齐	乔治·克拉布
评价	太乱	太小	太难懂

爸爸，你写的书比这些好多了！

接下来的三年里，彼得一直在完善他当年刚刚行医时写的词汇书。他将它变得更丰富，更有条理，更方便使用。

我希望每个人都能使用我的词汇书。不仅仅是医生、政治家和律师，还有补鞋匠、小鱼贩和工厂的工人。

很久以前，彼得就发现了词汇的力量。现在，他相信每个人都应该拥有这种力量——在需要的时候找到最恰当的那个词。

1852年，彼得出版了自己的《分类词典》（*Thesaurus*）。
Thesaurus这个词在希腊语是"珍藏室"的意思。人们从书架上抢购这本书，就像抢购新口味的糖果一样。首批的一千本书很快就卖光了。

COMMUNICATION OF IDEAS

听觉 听力 听诊
偷听 窃听
精准 精密 微妙
鼓室
听人 听众
听觉型
倾听
洗耳恭听
听讯
听!

这本书真
是奇妙、
神奇、叹
为观止!

彼得突然成了一个
很受欢迎的作家，但他
丝毫没有因此而改变。
他回到桌前，开始写他
的新单词表……

物理状态，材料
物质，事物，东西
元素，材料，
岩石，石头

蜿蜒
盘绕

绘画

所以
直到今天，
当你需要的
时候，
你仍能
找到
那个
最恰当的词。

1

存在

活着 事实 真实 现存

精神

淘望
知识

ORB

土星
木星
小行星带
智神星
婚神星
灶神星
火星
地球·月球

313. 进化论

巢穴

星球 住所 家
栖息地 落脚处

COMET

在浩瀚的宇宙中，我们栖息的星球不过
是一粒尘埃。然而，这粒尘埃之中，繁杂的物
种数不胜数，神奇的现象变化无穷……它们飞
速地发展，不断地进步，真是妙不可言！

——彼得·马克·罗杰

贝壳的形成
地球板块的迅速扩张

音乐
欢唱 咽啾
鸣啭

SCIENCE

生命的火花与光彩

653. 工具 仪器

415.
音乐

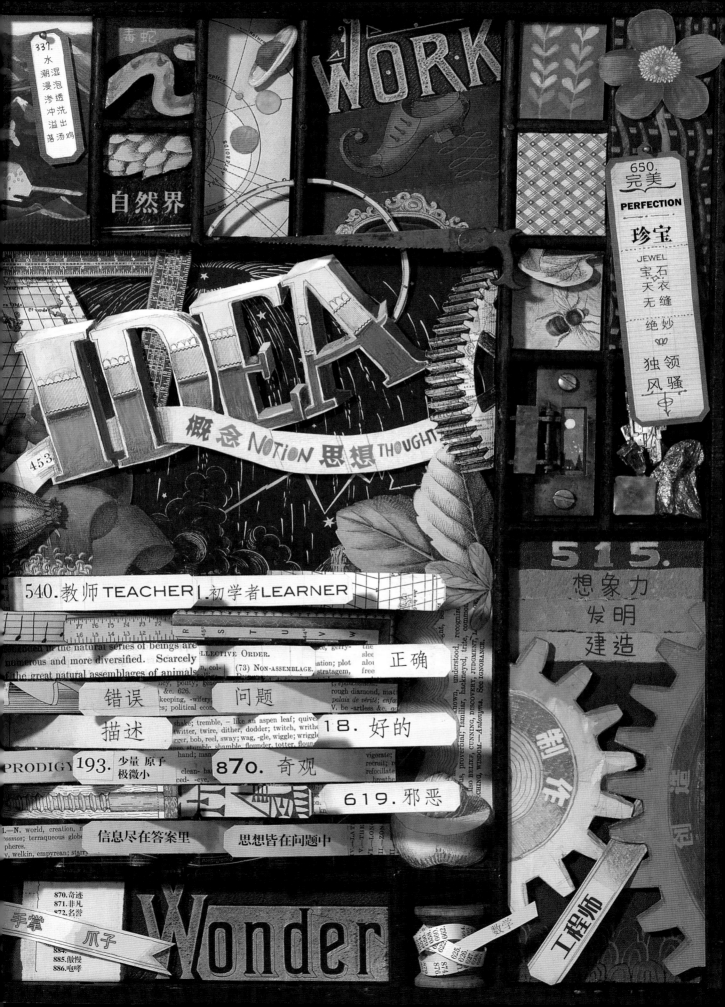

生平大事记

黑色字是彼得·马克·罗杰的生平大事。红色字是世界大事。

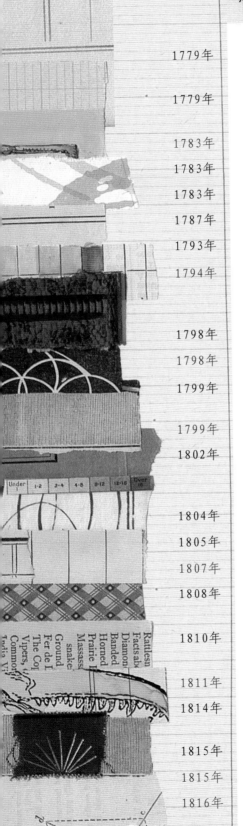

1779年	彼得·马克·罗杰于1月18日出生在英国伦敦，父母分别是让·罗杰和凯瑟琳·罗杰。
1779年	彼得的父亲被诊断为肺结核。为了寻求治疗，彼得的父母去了日内瓦，彼得两年后与他们团聚。
1783年	美国独立战争结束。
1783年	彼得的妹妹安妮特出生。
1783年	彼得的父亲让·罗杰死于肺结核。
1787年	开始写第一本笔记：《彼得·马克·罗杰，本人的书》。
1793年	14岁的彼得进入爱丁堡大学医学院。
1794年	海丝特·林奇·皮奥奇出版了《英国同义词研究：浅议日常对话中的词汇选择》，是《分类词典》的先驱之一。该书的主要内容是礼貌用语和社交礼节。
1798年	彼得从医学院毕业。
1798年	爱德华·詹纳研制出了天花疫苗。
1799年	彼得自愿成为N_2O（即"笑气"）项目的被实验者，该实验由发明家托马斯·贝多斯和汉弗里·戴维主持。
1799年	罗塞塔石碑在埃及被发现。
1802年	成为伯顿·菲利普和纳撒尼尔·菲利普的家庭教师，带他们游览法国和瑞士。1803年，拿破仑战争在法国和英国之间打响，彼得和两个男孩取道德国逃离。
1804年	在英国曼彻斯特一家公立医院开始第一份工作，担任内科医生。
1805年	完成词汇书初稿：《英语同义词的分类和使用》。
1807年	诺亚·韦伯斯特开始编撰一本综合词典。该书于1828年出版。
1808年	搬去伦敦。开始做私人医生，同时也为城市最贫穷地区的人们提供免费服务。
1810年	开业行医。接下来的几年里，在中学和大学举办了很多的讲座，涉及各种不同课题，包括化学、磁学、光学、解剖学和自然哲学。
1811年	玛丽·安宁（12岁）在英国多塞特发现了鱼龙的化石残骸。
1814年	开发一种新的计算尺装置。在计算器发明之前，这个装置为解决复杂除法和混合运算提供了最佳方法。
1815年	获选为英国皇家学会会员。皇家学会是英国顶尖的科学组织。
1815年	拿破仑·波拿巴在滑铁卢战役败北，被流放至英国的圣赫勒拿岛。
1816年	勒内·拉埃奈克发明了听诊器。

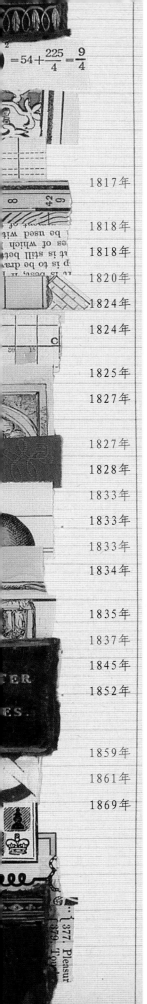

1817年	罗杰的朋友大卫·布儒斯特获得万花筒的专利。之后不久,罗杰撰写了《大英百科全书》关于万花筒的词条。
1818年	玛丽·雪莱出版了《科学怪人》。
1818年	舅舅萨穆埃尔·罗米伊去世。
1820年	南极洲被发现。
1824年	娶玛丽·泰勒·霍布森为妻。
1824年	彼得通过百叶窗观察到马车行走时轮胎辐条是怎样变化的,写了一篇关于这种视觉错觉的科学论文。这被公认为现代摄影或电影的主要原理之一。
1825年	女儿凯瑟琳(凯特)出生。
1827年	当选英国皇家学会秘书长,同时还是伦敦动物协会、英国皇家昆虫协会、英国科学促进协会、皇家地理协会、皇家天文学会和实用知识传播会的会员。
1827年	约翰·詹姆斯·奥杜邦出版了第一卷《美洲鸟类》。
1828年	儿子乔治·路易斯出生。
1833年	威廉·休厄尔创造了"科学家"一词。
1833年	夫人玛丽去世,生前因疑似癌症的疾病饱受病痛折磨多年。
1833年	英国禁奴。
1834年	出版了《自然神学参照下的动植物生理学》。这本书是基于他对动植物列表和分类的长期不灭的激情而完成的,奠定了他作为当时卓越思想家的地位。
1835年	母亲凯瑟琳去世。
1837年	维多利亚公主成为英国女王。
1845年	发明第一套便携式象棋。
1852年	在英国出版了现已闻名遐迩的《分类词典》初版。这本书的全名是《英语单词和短语的同义词典——组合分类,有助于表达思想和创作文字》。首印的1000多册很快售罄。在罗杰一生中,该书共加印28次。
1859年	查尔斯·达尔文出版了《物种起源》。
1861年	美国内战爆发。
1869年	彼得·马克·罗杰于9月12日在英国西马尔文去世。他的儿子乔治·路易斯·罗杰成为《分类词典》编辑,后于1908年交由彼得的孙子塞缪尔接管。罗杰的《分类词典》直到今天都在不断印刷。

作者手记

590. 写作
乱涂乱画
潦草写就
涂鸦之作

作者
文学创作

创作手记

> 语言并不只是我们交流思想的媒介……它是我们思想的工具；它不仅是思维的载体，还赋予思维一对飞翔的翅膀。

——彼得·马克·罗杰

　　一次，我长途驱车穿过宾夕法尼亚，发现自己带了一本旧版的罗杰《分类词典》，误以为它是我打算读的那本小说。我别无选择，便集中精力钻研那些编排得一丝不苟的词条。它们不像我曾经读过的那些经过删减的现代版本那样，按照字母顺序排列，而是根据概念和想法编排的。作者对英语里的几乎每个单词都按其意思加以归类，着实令人称奇。我暗自揣测，这个罗杰是何方神圣？是什么促使他做了这么一项耗时费力的大工程？正是这些问题催生了这本传记。

　　一旦开始仔细了解罗杰一生的真实历史细节，我发现其中的戏剧性和复杂性，远胜于我本文里所写的。他短暂的、时常落寞寡欢的童年，他不可多得的智慧，他神经质的习惯，他跟发明家们的友谊，他的旅游经历，他的行医生涯——所有这些结合在一起，造就了他丰富广阔、精彩绝伦的人生。我愿意跟年轻的读者们分享他的故事。

　　从8岁开始，罗杰就在笔记本上把他认为重要或有趣的事情都列出来。到26岁时，他完成了那部大名鼎鼎的《分类词典》的第一稿，词典于1852年出版后不断加印。地球上几乎没有哪个孩子或大人没有使用过自己母语版本的《分类词典》。

　　中学生学习语文时需要一个"美好"的同义词，刷屏的年轻人在电子词汇表里寻找一个词来代替"分手"。数以百万计诸如此类的事情每天都在发生，大家都应该对一位痴迷于词汇分类的医生致谢。

　　我要特别感谢那些不吝时间，向我提供专业知识和原始文献的人们：卡普雷斯手稿藏书博物馆的创始人和执行总裁戴维·卡普雷斯，巴克内尔大学精神和神经学教授戴维·伊万斯博士，盖茨堡学院穆瑟曼图书馆特色藏书部的档案顾问卡伦·得利卡曼，切斯特县图书馆的参考书馆员迪安妮·吉斯和卡洛尔·威尔士，三叉戟传媒的文学经纪人阿丽莎·E.汉肯，EBYR的编辑凯瑟琳·梅兹、艺术总监盖尔·布朗和出版商安妮塔·艾德曼斯，以及永远魅力不凡的梅利莎·斯威特。

——珍·布赖恩特

如果要用《分类词典》中的词来形容本书的创作过程，那应该是"霹雳"，出处请见872号词条——非凡、异象、奇观、神奇、奇迹、壮观、奇特、霹雳。

在研究伊始，把罗杰1805年的第一本词汇书捧在手中时，我就感受到了"霹雳"这个非同凡响的词。在书的每一页上，罗杰都画了一条红色的竖线，把标了号码的词条跟它的反义词分割开来。他将几千个单词工工整整地用笔写出来，没有任何涂抹。

这样的开始，可真是个好兆头。

本书插画中的拉丁语单词表都选自罗杰的笔记本。其他单词表则只采用罗杰1852年第一版《分类词典》中所收的词汇。罗杰解释说，他的《分类词典》中的单词，"不像普通词典那样按字母顺序排列，而是根据单词所表达的意思编排"。

随着时间的推移，《分类词典》的定义从"按意思分类"演变为"按字母顺序排列"。但是，那些词条自然流畅地从一个概念过渡到另一个概念，其中的诗意是无法比拟的。为了便于查找，罗杰还在边注中增加了一个索引。毕竟，这本书是写给所有人看的，读者并不仅限于科学家和学者。

不知不觉中，我的剪贴画融入了分类的思想和科学类插图，还有罗杰的著名论文《自然神学参照下的动植物生理学》中的意象：古旧的植物图案、做旧的纸张、图书的封面、打印的票据、水彩以及各种媒介的混合。

卷尾的空白处列出了罗杰的1000个单词，从中可大致了解其分类方案。最初的词汇表中有1003个单词。但是，罗杰追求完美的对称，于是分出了子类别词条450a"缺乏智慧"、465a"无差别"和768a"释放"。这样算下来不多不少，正好有1000个概念。

我由衷地感谢戴维·卡普雷斯博士慷慨地让我分享他收藏的罗杰大事记，感谢作家乔舒亚·肯道尔与我详谈罗杰的种种，感谢杰出的装订商安提娜·莫尔向我提供了剪贴画所用的红色皮革。还要感谢命运，让我有机会跟安妮塔·艾德曼斯、盖尔·布朗、凯瑟琳·梅兹和珍·布赖恩特合作，给罗杰的故事赋予生命，我且借用词典里的词条来表达感恩：

繁荣，好运，平安，福星高照。

没错，"福星高照"就是那个最恰当的词。

——梅利莎·斯威特

部分材料清单

纸张　水彩　其他　工具

画笔
钢笔
铅笔

珍·布赖恩特

为青少年读者创作了大量作品，包括《乔治亚的骨头》和《会唱诗的河》，后者曾获夏洛特·佐罗托童书奖。她的《一抹红色》获施耐德家庭图书奖和NCTE奥比斯锦鸡奖非虚构类图书奖。她住在宾夕法尼亚。

欢迎访问她的网站：www.jenbryant.com

梅利莎·斯威特

给许多图书画过插图，包括《会唱歌的河》以及《一抹红色》，前者获2009年凯迪克奖。她创作的绘本《百老汇空中的气球》获得2012年赛伯特奖。梅丽莎住在缅因州。

欢迎访问她的网站：www.melissasweet.net

873. 名誉

荣耀
崇高

献词 } 赞扬某人

身后殊荣

献给梅利莎·斯威特，我的朋友和非凡的艺术家、画家、设计师、雕刻家、大师。
——珍·布赖恩特

给保罗和帕蒂，我最爱的单词迷们。
——梅利莎·斯威特

彼得·罗杰的
《分类词典》手稿

Existence

1

Ens, entity, being, exist.
Essence, quintess. "quiddess".
Nature thing substance
course world. frame
position constitution
Reality, (v. Truth) actual
exist — fact,
course of things, under sun
extant, present

Positive, affirmation absolute
intrinsic, substantive
inherent
To be, exist, obtain, stand
pass, subsist, prevail, lie
— on foot, on tapis

to constitute, form, compose

State, Mode of exist. condition,
Affection, predicament, situat. posit. posture, contingency
Circumstance, case, plight, Train, tune, — point, degree
juncture, conjuncture pass, emergency, exigency.

— Mode, manner, style, cast, fashion, form, shape
Strain, way, degree. — tenure, terms, tenor
footing, character, capacity

Relation, -ship affinity, alliance, analogy, filiat. (v. Connex)
Reference about respect. regard concerning, touching
in point of, as to — pertaining to, belong applicable to
relatively, according to
Comparable, commensurate,
correspondent
accordant
-able.

Nonentity, nullity, nihility
nonexist. noth. nought
void, zero, cypher blank
empty

unsubstantial
Unreal, ideal, imaginary
visionary, fabulous
fictitious, supposititious
absent, shadow. dream
phantom, phantasm
Negation, virtual, extrinsic
potential. adjective

to consist of
scope, habitude temperament
nature, constitut. habit
plan

incomp. incom. — ble,
irreconcilable, discordant

爱读传记的孩子不会变坏

李一慢（新阅读研究所副所长、家庭教育专家）

我很喜欢本书开篇的引言："此人还没有彻底坏透，他房间里有本《分类词典》。"这是《彼得·潘》的作者 J.M. 巴里形容自己笔下的大反派虎克船长的话。

在广大父母中，也流传着许多类似的说法："弹钢琴的孩子不会变坏""爱读书的孩子不会变坏""学书法的孩子不会变坏"……如果让读完本书的我补充一句，我想说："爱读传记的孩子不会变坏。"

为什么呢？这源于儿童的模仿天性。

在幼儿期，孩子的大脑正在快速发育，空白处很多，吸收性很强。他们无法对环境中遇到的一切进行辨析，只会照单全收——看到好的举动无形之中就得到好的印象，反之就吸收坏的。这个阶段的孩子，最容易"近朱者赤，近墨者黑"。

七岁前后，儿童真正进入学习阶段。这个年龄段的孩子开始入学，他们的社会性发展出现了迫切需求，从幼儿时期的"我想成为探险家、游泳健将……"变成"我想成为谁那样……"。与此同时，儿童的阅读能力也在提高。七岁左右的孩子逐渐开始独立阅读，阅读的种类和时间都在增加。

因此，让孩子通过阅读传记图画书来阅读真实的世界，树立除了亲人好友外的真实的人生榜样，求得内心的认同，激励自我的成长，是帮助孩子树立正确价值观的绝佳方法。

在我的"小学绘本阅读课程"整体设计中，有一个单元专门通过传记绘本引导孩子们从浪漫阅读过渡到真实人生的阅读，让孩子从阅读中找到真实的偶像。《就是这个词！》无疑是传记绘本中的极佳范本。

除此之外，孩子们也喜欢这本书带来的阅读乐趣，我家正上二年级的女儿就说了："这本书的图画特别好看，耐看，好像总也看不完。"

我明白她的意思，这本书可谓是手绘、文字与拼贴画的完美结合。画家选用的多种材质拼贴，与故事的主题和线索堪称绝配。这本书还把"书"的多姿多彩表现得恰到好处，我们不仅可以有幸见到分类词典的手稿，还能在书中每一页都找到许多古旧书页的身影。

封面如此，故事也是如此。翻开书，每一个小细节都在说话，让孩子们感受着一种不一样的"叙述方式"。这些叙述用孩子们最熟悉的字块，清晰明了地告诉我们，这些句子、这些思想，都是由一个个词语组成的啊！在这本绘本中，不仅有主人公的成长故事，更有"词的故事"等待着细心的孩子去发现。这种寻宝式的阅读乐趣，更是大大增强了故事的魅力。

孩子刚开始学习认字、练习书写时，经常会创作类似涂鸦的"写绘"。这一阶段正需要家长恰当地对孩子的创作兴趣进行引导。《就是这个词！》就给了孩子们一个很好的"编写体例"样板。我家有一个习惯，每天睡前一家四口都会奋笔疾书，记录下今天的趣事。正上一年级的女儿往往是一个词一个词地写，不会写的词语干脆就画出来。

我们不求成为罗杰那样的大师，但是做一个自己家的分类词典，不也其乐无穷吗？更重要的是，在创作的过程中，促进孩子去思考，去寻找属于自己的"那个词"，寻找属于自己的梦想！

THESAURUS
OF
ENGLISH WORDS AND PHRASES CLASSIFIED AND ARRANGED
SO AS TO FACILITATE THE EXPRESSION OF
IDEAS
AND ASSIST IN LITERARY COMPOSITION
BY
PETER MARK ROGET

PLAN of CLASSIFICATION

CLASS	SECTION	Nos.
I. ABSTRACT RELATIONS	1. EXISTENCE	1 to 8
	2. RELATION	9–24
	3. QUANTITY	25–57
	4. ORDER	58–83
	5. NUMBER	84–105
	6. TIME	106–139
	7. CHANGE	140–152
	8. CAUSATION	153–179
II. SPACE	1. GENERALLY	180–191
	2. DIMENSIONS	192–239
	3. FORM	240–263
	4. MOTION	264–315
III. MATTER	1. GENERALLY	316–320
	2. INORGANIC	321–356
	3. ORGANIC	357–449
IV. INTELLECT	1. FORMATION OF IDEAS	450–515
	2. COMMUNICATION OF IDEAS	516–599
V. VOLITION	1. INDIVIDUAL	600–736
	2. INTERSOCIAL	737–819
VI. AFFECTIONS	1. GENERALLY	820–826
	2. PERSONAL	827–887
	3. SYMPATHETIC	888–921
	4. MORAL	922–975
	5. RELIGIOUS	976–1000

1. EXISTENCE.
3. SUBSTANTIALITY.
5. INTRINSICALITY.
7. STATE.
9. RELATION.
11. CONSANGUINITY.
12. RECIPROCALITY.
13. IDENTITY.
16. UNIFORMITY.
17. SIMILARITY.
19. IMITATION.
21. COPY.
23. AGREEMENT.
25. QUANTITY.
27. EQUALITY.
29. MEAN.
30. COMPENSATION.
31. GREATNESS.
33. SUPERIORITY.
35. INCREASE.
37. ADDITION.
39. ADJUNCT.
41. MIXTURE.
43. JUNCTION.
45. VINCULUM.
46. COHERENCE.
48. COMBINATION.
50. WHOLE.
52. COMPLETENESS.
54. COMPOSITION.
56. COMPONENT.
58. ORDER.
60. ARRANGEMENT.
62. PRECEDENCE.
64. PRECURSOR.
66. BEGINNING.
68. MIDDLE.
69. CONTINUITY.
71. TERM.
72. ASSEMBLAGE.
74. FOCUS.
75. CLASS.
76. INCLUSION.
78. GENERALITY.
80. RULE.
82. CONFORMITY.
84. NUMBER.
85. NUMERATION.
86. LIST.
87. UNITY.
89. DUALITY.
90. DUPLICATION.
92. TRIALITY.
93. TRIPLICATION.
95. QUATERNITY.
96. QUADRUPLICATION.
98. FIVE, &c.
100. PLURALITY.
102. MULTITUDE.
104. REPETITION.
105. INFINITY.
106. DURATION.
108. PERIOD.
110. DIUTURNITY.
112. PERPETUITY.
114. CHRONOMETRY.
116. PRIORITY.
118. PRESENT TIME.
120. SYNCHRONISM.
121. FUTURITY.
123. NEWNESS.
125. MORNING.
127. YOUTH.
129. INFANT.
131. ADOLESCENCE.
132. EARLINESS.
134. OPPORTUNITY.
136. FREQUENCY.
138. PERIODICITY.
140. CHANGE.
141. CESSATION.

2. INEXISTENCE.
4. UNSUBSTANTIALITY.
6. EXTRINSICALITY.
8. CIRCUMSTANCE.
10. IRRELATION.
14. CONTRARIETY.
15. DIFFERENCE.
18. DISSIMILARITY.
20. VARIATION.
22. PROTOTYPE.
24. DISAGREEMENT.
26. DEGREE.
28. INEQUALITY.
32. SMALLNESS.
34. INFERIORITY.
36. DECREASE.
38. SUBDUCTION.
40. REMAINDER.
42. SIMPLENESS.
44. DISJUNCTION.
47. INCOHERENCE.
49. DECOMPOSITION.
51. PART.
53. INCOMPLETENESS.
55. EXCLUSION.
57. EXTRANEOUSNESS.
59. DISORDER.
61. DERANGEMENT.
63. SEQUENCE.
65. SEQUEL.
67. END.
70. DISCONTINUITY.
73. DISPERSION.
77. EXCLUSION.
79. SPECIALITY.
81. MULTIFORMITY.
83. UNCONFORMITY.
88. ACCOMPANIMENT.
91. BISECTION.
94. TRISECTION.
97. QUADRISECTION.
99. QUINQUESECTION, &c.
101. ZERO.
103. FEWNESS.
107. NEVERNESS.
109. COURSE.
111. TRANSIENTNESS.
113. INSTANTANEITY.
115. ANACHRONISM.
117. POSTERIORITY.
119. DIFFERENT TIME.
122. PRETERITION.
124. OLDNESS.
126. EVENING.
128. AGE.
130. VETERAN.
133. LATENESS.
135. INTEMPESTIVITY.
137. INFREQUENCY.
139. IRREGULARITY.
142. PERMANENCE.
143. CONTINUANCE.
145. REVERSION.
144. CONVERSION.
146. REVOLUTION.
147. SUBSTITUTION.
148. INTERCHANGE.
149. MUTABILITY.
150. IMMUTABILITY.
151. EVENTUALITY.
152. DESTINY.
153. CAUSE.
154. EFFECT.
155. ATTRIBUTION.
156. CHANCE.
157. POWER.
158. IMPOTENCE.
159. STRENGTH.
160. WEAKNESS.
161. PRODUCTION.
162. DESTRUCTION.
163. REPRODUCTION.
164. PRODUCER.
165. DESTROYER.
166. PATERNITY.
167. POSTERITY.
168. PRODUCTIVENESS.
169. UNPRODUCTIVENESS.
170. AGENCY.
171. ENERGY.
172. INERTNESS.

173. VIOLENCE.
175. INFLUENCE.
176. TENDENCY.
178. CONCURRENCE.
180. SPACE.
183. SITUATION.
184. LOCATION.
186. PRESENCE.
188. INHABITANT.
190. CONTENTS.
192. SIZE.
194. EXPANSION.
196. DISTANCE.
198. INTERVAL.
200. LENGTH.
202. BREADTH.
204. LAYER.
206. HEIGHT.
208. DEPTH.
210. SUMMIT.
212. VERTICALITY.
214. PENDENCY.
216. PARALLELISM.
218. INVERSION.
220. EXTERIORITY.
222. COVERING.
225. INVESTMENT.
227. CIRCUMJACENCE.
229. OUTLINE.
230. EDGE.
231. CIRCUMSCRIPTION.
232. INCLOSURE.
233. LIMIT.
234. FRONT.
236. LATERALITY.
238. DEXTRALITY.
240. FORM.
242. SYMMETRY.
244. ANGULARITY.
246. CURVATURE.
247. CIRCULARITY.
249. ROTUNDITY.
250. CONVEXITY.
253. SHARPNESS.
255. SMOOTHNESS.
257. NOTCH.
258. FOLD.
259. FURROW.
260. OPENING.
262. PERFORATOR.
264. MOTION.
266. JOURNEY.
268. TRAVELLER.
270. TRANSFERENCE.
271. CARRIER.
272. VEHICLE.
274. VELOCITY.
276. IMPULSE.
278. DIRECTION.
280. PRECESSION.
282. PROGRESSION.
284. PROPULSION.
286. RECESSION.
288. REPULSION.
290. DIVERGENCE.
292. DEPARTURE.
294. EGRESS.
296. EJECTION.
298. EXCRETION.
300. EXTRACTION.
302. PASSAGE.
303. TRANSCURSION.
305. ASCENT.
307. ELEVATION.
309. LEAP.
311. CIRCUITION.
312. ROTATION.
314. OSCILLATION.
315. AGITATION.
316. MATERIALITY.
318. WORLD.
319. GRAVITY.
321. DENSITY.
323. HARDNESS.
325. ELASTICITY.
327. TENACITY.
329. TEXTURE.
330. PULVERULENCE.
331. FRICTION.
333. LIQUIDITY.
335. LIQUEFACTION.
337. WATER.
339. MOISTURE.
341. OCEAN.
343. LAKE.
345. MARSH.
347. STREAM.
348. RIVER.
350. CONDUIT.
352. SEMILIQUIDITY.
354. PULPINESS.
357. ORGANIZATION.

174. MODERATION.
177. LIABILITY.
179. COUNTERACTION.
181. REGION.
182. PLACE.
185. DISPLACEMENT.
187. ABSENCE.
189. ABODE.
191. RECEPTACLE.
193. LITTLENESS.
195. CONTRACTION.
197. NEARNESS.
199. CONTIGUITY.
201. SHORTNESS.
203. NARROWNESS.
205. FILAMENT.
207. LOWNESS.
209. SHALLOWNESS.
211. BASE.
213. HORIZONTALITY.
215. SUPPORT.
217. OBLIQUITY.
219. CROSSING.
221. INTERIORITY.
223. CENTRALITY.
224. LINING.
226. DIVESTMENT.
228. INTERJACENCE.
235. REAR.
237. ANTEPOSITION.
239. SINISTRALITY.
241. AMORPHISM.
243. DISTORTION.
245. STRAIGHTNESS.
248. CONVOLUTION.
251. FLATNESS.
252. CONCAVITY.
254. BLUNTNESS.
256. ROUGHNESS.
261. CLOSURE.
263. STOPPER.
265. QUIESCENCE.
267. NAVIGATION.
269. MARINER.
273. SHIP.
275. SLOWNESS.
277. RECOIL.
279. DEVIATION.
281. SEQUENCE.
283. REGRESSION.
285. TRACTION.
287. APPROACH.
289. ATTRACTION.
291. CONVERGENCE.
293. ARRIVAL.
295. INGRESS.
297. RECEPTION.
299. FOOD.
301. INSERTION.
304. SHORTCOMING.
306. DESCENT.
308. DEPRESSION.
310. PLUNGE.
313. EVOLUTION.
317. IMMATERIALITY.
320. LEVITY.
322. RARITY.
324. SOFTNESS.
326. INELASTICITY.
328. BRITTLENESS.
332. LUBRICATION.
334. GASEITY.
336. VAPORIZATION.
338. AIR.
340. DRYNESS.
342. LAND.
344. PLAIN.
346. ISLAND.
349. WIND.
351. AIR-PIPE.
353. BUBBLE.
355. UNCTUOUSNESS.
356. OIL.
358. INORGANIZATION.

359. LIFE.
364. ANIMALITY.
366. ANIMAL.
368. ZOOLOGY.
370. CICURATION.
372. MANKIND.
373. MAN.
375. SENSIBILITY.
377. PLEASURE.
379. TOUCH.
380. PERCEPTIONS OF TOUCH.
382. HEAT.
384. CALEFACTION.
386. FURNACE.
388. FUEL.
389. THERMOMETER.
390. TASTE.
392. PUNGENCY.
393. CONDIMENT.
394. SAVORINESS.
396. SWEETNESS.
398. ODOUR.
400. FRAGRANCE.
402. SOUND.
404. LOUDNESS.
406. SNAP.
408. RESONANCE.
410. STRIDOR.
411. CRY.
413. HARMONY.
415. MUSIC.
416. MUSICIAN.
417. MUSICAL INSTRUMENTS.
418. HEARING.
420. LIGHT.
423. LUMINARY.
425. TRANSPARENCY.
428. COLOUR.
430. WHITENESS.
432. GRAY.
434. REDNESS.
436. YELLOWNESS.
438. BLUENESS.
440. VARIEGATION.
441. VISION.
444. SPECTATOR.
445. OPTICAL INSTRUMENTS.
446. VISIBILITY.
448. APPEARANCE.
450. INTELLECT.
451. THOUGHT.
453. IDEA.
455. CURIOSITY.
457. ATTENTION.
459. CARE.
461. INQUIRY.
463. EXPERIMENT.
465. DISCRIMINATION.
466. MEASUREMENT.
467. EVIDENCE.

360. DEATH.
361. KILLING.
362. CORPSE.
363. INTERMENT.
365. VEGETABILITY.
367. PLANT.
369. BOTANY.
371. AGRICULTURE.
374. WOMAN.
376. INSENSIBILITY.
378. PAIN.
381. NUMBNESS.
383. COLD.
385. FRIGEFACTION.
387. REFRIGERATORY.
391. INSIPIDITY.
395. UNSAVORINESS.
397. SOURNESS.
399. INODOROUSNESS.
401. FŒTOR.
403. SILENCE.
405. FAINTNESS.
407. ROLL.
409. SIBILATION.
412. ULULATION.
414. DISCORD.
419. DEAFNESS.
421. DARKNESS.
422. DIMNESS.
424. SHADE.
426. OPACITY.
427. SEMITRANSPARENCY.
429. ACHROMATISM.
431. BLACKNESS.
433. BROWN.
435. GREENNESS.
437. PURPLE.
439. ORANGE.
442. BLINDNESS.
443. DIMSIGHTEDNESS.
447. INVISIBILITY.
449. DISAPPEARANCE.
450a. ABSENCE of INTELLECT.
452. INCOGITANCY.
454. TOPIC.
456. INCURIOSITY.
458. INATTENTION.
460. NEGLECT.
462. ANSWER.
464. COMPARISON.
465a. INDISCRIMINATION.
468. COUNTER-EVIDENCE.
469. QUALIFICATION.
470. POSSIBILITY.
472. PROBABILITY.
474. CERTAINTY.
476. REASONING.
478. DEMONSTRATION.
480. JUDGMENT.
482. OVER-ESTIMATION.
484. BELIEF.
486. CREDULITY.
488. ASSENT.
490. KNOWLEDGE.
492. SCHOLAR.
494. TRUTH.
496. MAXIM.
498. WISDOM.
500. SAGE.
502. SANITY.

471. IMPOSSIBILITY.
473. IMPROBABILITY.
475. UNCERTAINTY.
477. SOPHISTRY.
479. CONFUTATION.
481. MISJUDGMENT.
483. UNDER-ESTIMATION.
485. DOUBT.
487. INCREDULITY.
489. DISSENT.
491. IGNORANCE.
493. IGNORAMUS.
495. ERROR.
497. ABSURDITY.
499. FOLLY.
501. FOOL.
503. INSANITY.

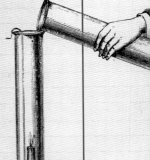